Le grand livre des jeux drôles et intelligents

Beau temps, mauvais temps

Monique

Le grand livre
des jeux
drôles et intelligents

Texte

Marie-Claude Favreau

Conception graphique
et
illustrations

Isabelle Charbonneau

Données de catalogage avant publication (Canada)

Favreau, Marie-Claude

Le grand livre des jeux drôles et intelligents. Beau temps, mauvais temps

Pour les jeunes de 10 à 12 ans.

ISBN 2-7625-0680-8

1. Jeux – Ouvrages pour la jeunesse. 2. Jeux intellectuels – Ouvrages pour la jeunesse. I. Charbonneau, Isabelle. II. Titre.

GV1203.F38 1998   j793.7   C98-940081-6

Dépôts légaux: 1er trimestre 1998
Bibliothèque nationale du Québec
Bibliothèque nationale du Canada

ISBN: 2-7625-0680-8

Imprimé au Canada

10   9   8   7   6

LES ÉDITIONS HÉRITAGE INC.
300, rue Arran, Saint-Lambert (Québec) J4R 1K5
Téléphone: (514) 875-0327
Télécopieur: (514) 672-5448
Courrier électronique: heritage@mlink.net

Sommaire

© Les éditions Héritage inc. 1998

Légendes

Jeux de calcul et de logique

Jeux de mots

Jeux d'observation

Mots croisés

Quiz, charades et énigmes

Facile

Moyen

Difficile

Mots en images : le grand ménage

C'est l'heure du grand ménage du printemps. Remplis la grille avec les noms de ces objets très utiles. Les mots s'écrivent de gauche à droite ou de haut en bas.

? Le quiz des mots en CAR

Tous les mots suivants commencent par CAR. Aide Justine à les compléter et à découvrir le mot secret dans les cases grises.

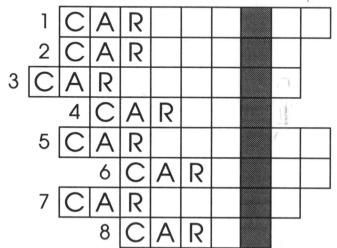

1. Petit étui cylindrique pouvant contenir de l'encre.
2. Celui de Québec est bien connu.
3. Il mange de la viande.
4. Petit cahier dans lequel on inscrit des notes.
5. Certaines parties du nez et des oreilles sont constituées de cette matière.
6. Voisin du renne.
7. Charrette, parfois montée sur patins.
8. Quand on en a une, on court chez le dentiste.

👁 Un merle affamé

Avec l'arrivée du printemps, ce merle pourra enfin se régaler! Mais ce qui lui semble le plus appétissant se trouve à côté d'une tulipe qui se trouve au-dessus d'une mouche qui se trouve à côté d'un soleil situé sous un bourgeon, lui-même placé sous un papillon. De quoi s'agit-il?

◉ Hiéroglyphes

Ah! Ces Égyptiens! Ils utilisaient même le serpent dans leur écriture. Alors, pour une couleuvre, quoi de mieux que des hiéroglyphes pour s'exprimer? Décode le message de ce sympathique reptile.

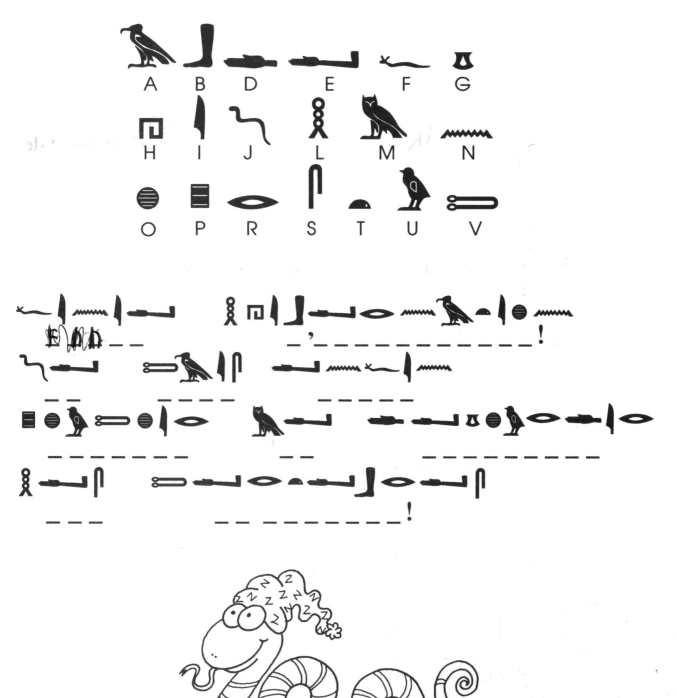

ons Héritage inc. 1998

Il a venté si fort que les panneaux se sont envolés. La vie du village en est toute chamboulée. Essaie de remettre les panneaux à leur place.

zone scolaire arrêt à l'intersection accès interdit hôpital

limite de vitesse travaux passage à niveau

? Les colles des petits calés

1. Parmi ces animaux, un seul hiberne, lequel?
   le lièvre ❑ la marmotte ❑ le chevreuil ❑ la mouffette ❑

2. Comment s'appelle le nid de l'aigle?
   l'aire ❑ le hère ❑ l'air ❑ l'ère ❑

3. Comment s'appelle le seul crustacé qui ne soit pas aquatique?
   le scolopendre ❑ le troglodyte ❑ le cloporte ❑ le crabe ❑

4. Comment s'appelle la chenille qui s'enferme dans son cocon pour devenir papillon?
   la chrysalide ❑ la crinoline ❑ la cristallisation ❑ la chrysomèle ❑

5. Le musicien qui joue du tuba est
   un tubiste ❑ un tubeur ❑ un cubiste ❑ un tubaniste ❑

6. La femelle du lièvre s'appelle
   la hase ❑ la levrette ❑ la lapine ❑ la levrotte ❑

7. Un raz de marée causé par un tremblement de terre ou une éruption volcanique est
   un tamagotchi ❑ un tatami ❑ un séisme ❑ un tsunami ❑

8. Les petites ailes dures et colorées qui recouvrent les «vraies» ailes de la coccinelle sont
   les élites ❑ les ailerons ❑ les élytres ❑ les ailettes ❑

9. Quel est le nombre maximum de pattes que peut posséder un mille-pattes?
   environ 30 ❑ environ 400 ❑ environ 1000 ❑ environ 2000 ❑

10. Combien y a-t-il de planètes dans notre système solaire?
    5 ❑ 7 ❑ 8 ❑ 9 ❑

La fleur mystère

C'est le printemps! Déjà les fleurs commencent à pousser. Certaines sont même prêtes à braver la neige et les derniers froids. Dans cette grille se cachent 18 de ces fleurs printanières: les mots sont écrits horizontalement, verticalement ou en diagonale, autant à l'endroit qu'à l'envers. Après avoir trouvé les 17 fleurs de la liste ci-dessous, tu pourras former le nom de la 18ᵉ avec les lettres qui restent.

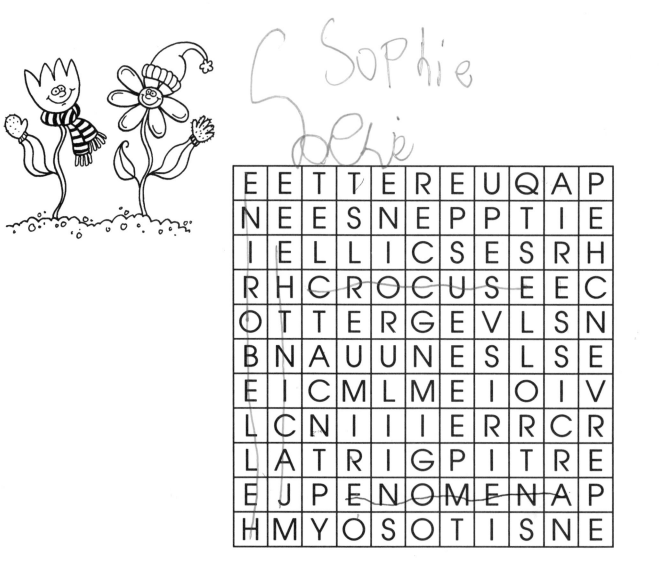

Mots à trouver:

ail – anémone – crocus – hélléborine – iris – jacinthe – muguet – myosotis – narcisse
pâquerette – pensée – pervenche – pissenlit – primevère – scille – tulipe – trolle

Le message secret du printemps

Ah, ah! Momo Lamotte a un message important à livrer. Mais sauras-tu décoder son langage de marmotte? Un indice: en marmotte, OBAWBHE signifie BONJOUR.

Voici un petit truc pour t'aider: sur une ligne, écris les 13 premières lettres de l'alphabet, puis dessous, les 13 autres.

_____

_____

RA NIEVY, AR GR QRPBHIER CNF Q'HA SVY;

_____

RA ZNV, SNVF PR DH'VY GR CYNVG.

_____

Une pyramide d'œufs

Crois-tu que Joëlle pourra inverser cette pyramide en ne déplaçant que trois œufs?

© Les éditions Héritage inc. 1998

✓x La brigade des coccinelles   ✎3

Avec un peu d'astuce, tu réussiras à placer ces dix coccinelles sur cinq rangées de quatre coccinelles chacune. Les rangées peuvent se croiser et aller dans n'importe quelle direction. Pas facile!

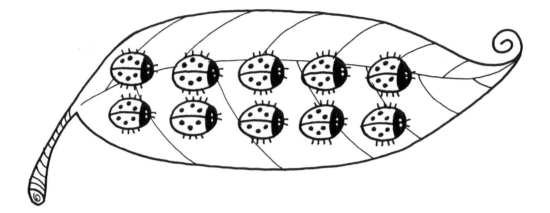

✓x Qu'est-ce qui vient ensuite ?   ✎2

Tous ces chiffres suivent un ordre logique. Lequel? À toi de le deviner et de continuer chaque suite.

1. 2 4 8 16 32 ⌣ ⌣

2. 13 17 21 25 29 ⌣ ⌣

3. 1 3 6 8 16 ⌣ ⌣

4. 2 4 6 10 16 26 42 ⌣ ⌣

5. 2 3 5 8 12 ⌣ ⌣

6. 9 8 10 9 11 10 ⌣ ⌣

7. 10 11 9 10 8 9 7 ⌣ ⌣

Une ménagerie d'expressions

Toutes ces expressions contiennent le nom d'un animal. Tu les connais sûrement, alors complète-les avec les consonnes appropriées. Les illustrations qui les accompagnent t'aideront certainement un peu!

1. _a_ _e_   _o_ _e   u_   _o_ _o_

2. _a_ _ _e_   à   _a_   _e   _ou_

3. _ _eu_e_   _o_ _e   u_   _ea_

4. _e_ _e_   _e_   _a_ _e_   _e_   _ _o_o_i_e

5. Ê_ _e   _u_é   _o_ _e   u_   _ea_ _

6. A_oi_   u_   a_ _é_i_   _'oi_eau

7. Ê_ _e   _ai_   _o_ _e   u_   _ou

8. _o_ _i_   _o_ _e   u_e   _a_ _o_ _e

© Les éditions Héritage inc. 1998

Claude et Félix font leur grand ménage du printemps. Trouve tous les objets qu'ils pourront ranger jusqu'à l'hiver prochain : raquette, bas de Noël, ski, mitaine, tuque, pelle à neige, luge, passe-montagne, bottes de ski, bâton de ski, patin, père Noël, boîte de boules de Noël, écharpe, sapin artificiel.

👁 *Qui vient d'où ?*

Essaie de replacer tous ces animaux sur leurs continents respectifs.

chameau

crocodile du Nil

koala

orang-outan

lama

ornithorynque

tamanoir

panda

éléphant b

pirhana

éléphant a

manchot

ours polaire

tigre

dromadaire

sanglier

Amérique du Nord

Europe

Asie

Afrique

Amérique du Sud

Australie

Antarctique

17

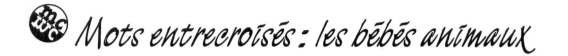

Mots entrecroisés : les bébés animaux

Dans les régions tempérées et froides, c'est au printemps que de nombreux animaux donnent naissance à leurs petits. À l'aide des indices, trouve les noms de 19 bébés animaux d'un peu partout, puis sers-t'en pour compléter la grille.

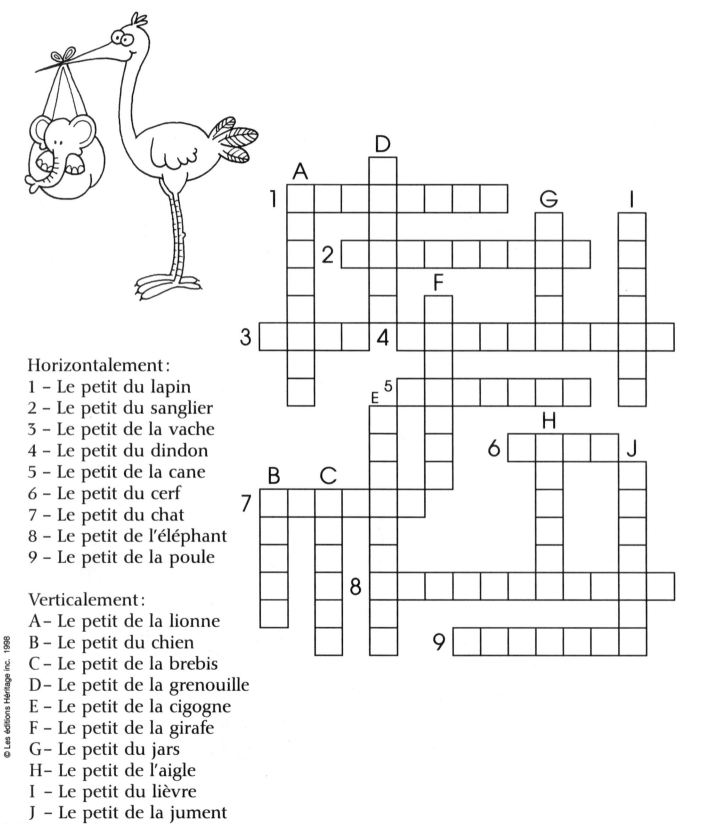

Horizontalement :
1 – Le petit du lapin
2 – Le petit du sanglier
3 – Le petit de la vache
4 – Le petit du dindon
5 – Le petit de la cane
6 – Le petit du cerf
7 – Le petit du chat
8 – Le petit de l'éléphant
9 – Le petit de la poule

Verticalement :
A – Le petit de la lionne
B – Le petit du chien
C – Le petit de la brebis
D – Le petit de la grenouille
E – Le petit de la cigogne
F – Le petit de la girafe
G – Le petit du jars
H – Le petit de l'aigle
I – Le petit du lièvre
J – Le petit de la jument

👁 Orage printanier

Le vent a fait tomber les lettres de ce panneau. Remets–les en place en te fiant à la position des clous.

Amélie doit ranger sa chambre. Mais un intrus s'est glissé dans chacune des boîtes pourtant bien étiquetées. Aide Amélie à y voir un peu plus clair en découvrant ces intrus.

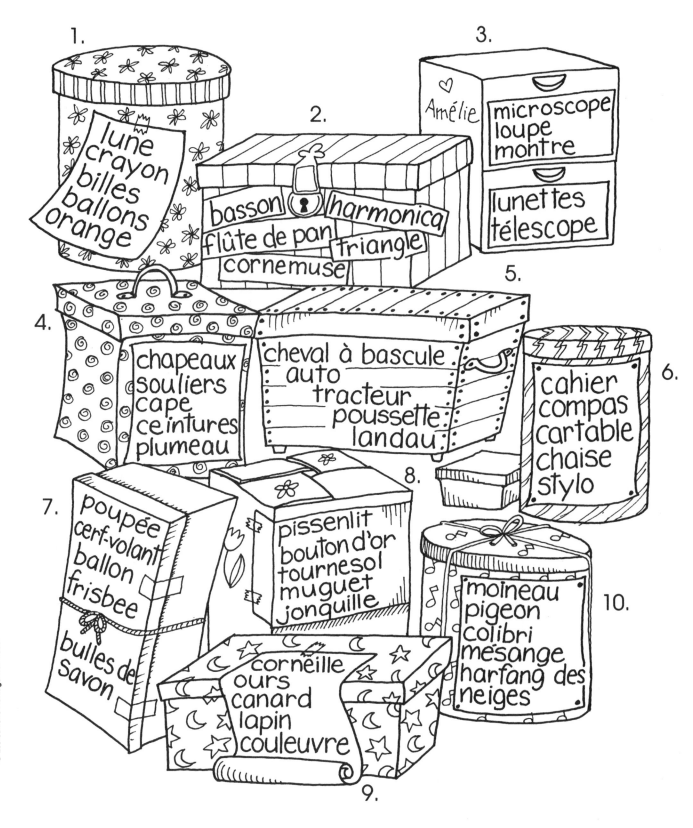

1.
lune
crayon
billes
ballons
orange

2.
basson
flûte de pan
cornemuse
harmonica
triangle

3.
Amélie
microscope
loupe
montre
lunettes
télescope

4.
chapeaux
souliers
cape
ceintures
plumeau

5.
cheval à bascule
auto
tracteur
poussette
landau

6.
cahier
compas
cartable
chaise
stylo

7.
poupée
cerf-volant
ballon
frisbee
bulles de savon

8.
pissenlit
bouton d'or
tournesol
muguet
jonquille

9.
corneille
ours
canard
lapin
couleuvre

10.
moineau
pigeon
colibri
mésange
harfang des neiges

Mots au carré

En te servant des lettres de cette grille, essaie de former avec des lettres qui se touchent (horizontalement, verticalement ou en diagonale) le plus grand nombre de mots possible. Ces mots doivent avoir au moins quatre lettres. Mais attention! Tu ne dois pas utiliser deux fois la même lettre dans un mot. Ainsi, tu pourrais faire TES, mais pas MÉTIS ni PETIT. Avec un peu d'imagination, tu pourras même former un mot qui comporte toutes les lettres de la grille. Bonne chance!

mots de 4 lettres   mots de 5 lettres   mots de 6 lettres   mot de 9 lettres

_____   _____   _____   _____

_____   _____   _____

_____   _____   _____

_____   _____

_____

_____

Labyrinthe : une explosion de lettres

Ce fouillis de lettres renferme un message : « Si c'est le printemps ici, c'est l'automne en Australie ». Traverse le labyrinthe en ne suivant que les lettres qui forment ce message (et qui se touchent).

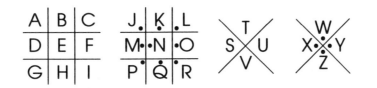

Le philtre d'amour de Bergamote

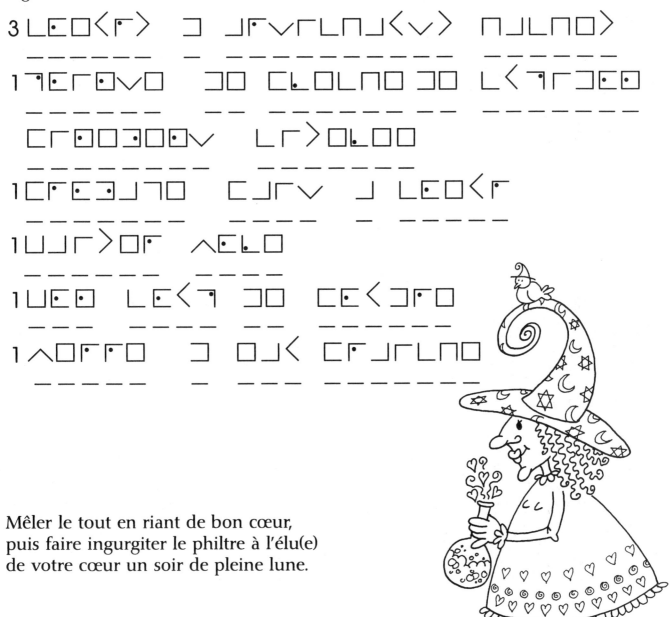

Pour fêter le retour du printemps, la sorcière Bergamote prépare son philtre d'amour, car elle a bien l'intention d'épouser le beau, le sublime, le merveilleux prince Charmeur. Hélas, les ingrédients sont cryptés et Bergamote ne se souvient plus du code. Rends-lui sa mémoire et aide-la à décoder la recette.

Ingrédients :

3 _ _ _ _ _ _ _   _   _ _ _ _ _ _ _ _ _   _ _ _ _ _ _

1 _ _ _ _ _ _   _ _   _ _ _ _ _ _ _ _ _ _   _ _ _ _ _

_ _ _ _ _ _ _ _   _ _ _ _ _ _

1 _ _ _ _ _ _ _   _ _ _ _   _   _ _ _ _ _ _

1 _ _ _ _ _ _ _   _ _ _ _

1 _ _ _   _ _ _ _   _ _   _ _ _ _ _ _

1 _ _ _ _ _ _   _   _ _ _   _ _ _ _ _ _ _

Mêler le tout en riant de bon cœur, puis faire ingurgiter le philtre à l'élu(e) de votre cœur un soir de pleine lune.

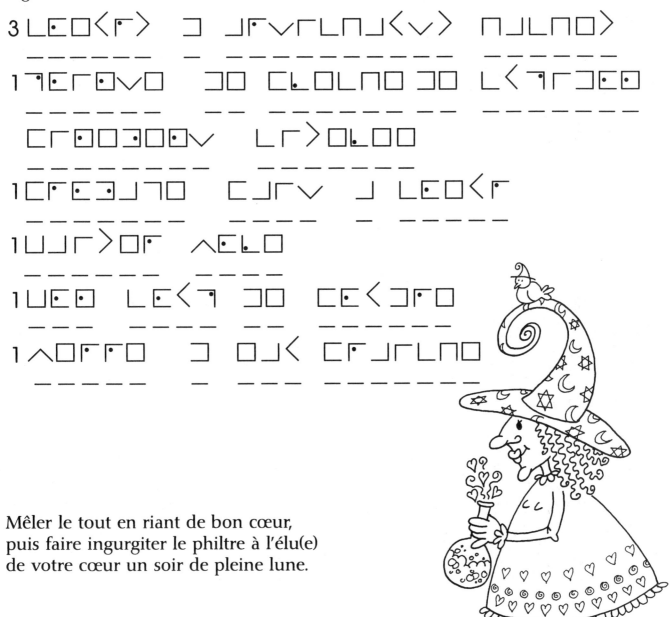

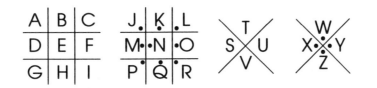

❓ Salade de charades

1. Mon premier est une céréale.
   Mon deuxième est un cousin du chevreuil.
   Mon troisième vient entre un et trois.
   Mon tout se mange avec les doigts!

2. Mon premier est un fruit.
   Mon second est utile pour se laver.
   Mon tout est délicieux en soupe ou avec de la vinaigrette.

3. Mon premier est un oiseau très chapardeur.
   Mon second ne dit pas la vérité.
   Mon tout est parfois doux, parfois fort.

4. Mon premier, c'est la vache qui le dit.
   Mon deuxième n'est pas court.
   Mon troisième commence la gamme.
   Mon tout est frais et juteux.

5. Mon premier est le meilleur.
   Mon deuxième est papa.
   Mon troisième est fait pour s'amuser.
   Mon tout se vend en bottes.

6. Mon premier est la partie inférieure d'une structure.
   Mon deuxième est une terre entourée d'eau.
   Mon troisième est ce qu'on fait quand on a le hoquet.
   Mon tout est une herbe aromatique.

7. Mon premier se retrouve parfois dans les laboratoires.
   Mon second exprime quelque chose oralement.
   Mon tout a parfois une saveur piquante.

8. Mon premier est sot.
   Mon deuxième est cousin de la souris.
   Mon troisième est un souhait.
   Mon tout tache beaucoup.

9. Mon premier sert à couper.
   Mon second est synonyme de peur.
   Mon tout est un fruit qui a du poids.

10. Mon premier n'est pas bas.
    Mon deuxième est la place qu'on occupe dans la famille.
    Mon troisième, c'est moi!
    Mon tout est une couleur qui se mange.

Mot mystère en CA...

Tous les mots contenus dans cette grille commencent par CA.

C	A	M	A	R	A	D	E	T
C	A	S	C	A	D	E	E	C
A	A	R	C	A	B	L	T	A
P	E	N	G	C	U	C	T	B
S	F	C	A	O	A	A	O	R
U	A	A	S	R	A	N	R	I
L	C	S	N	E	D	I	A	O
E	A	E	N	A	C	F	C	L
C	A	M	P	A	G	N	E	E

Mots à trouver : cabriole, café, camarade, campagne, canal, canard, cane, canif, capsule, carotte, cargo, cascade, case, cassoulet.

Le mot mystère : _____

© Les éditions Héritage inc. 1998

Chaque insecte représente un chiffre, toujours le même. En sachant que les chiffres qui se cachent ici vont de 1 à 4, pourras-tu trouver la valeur de chacun des symboles?

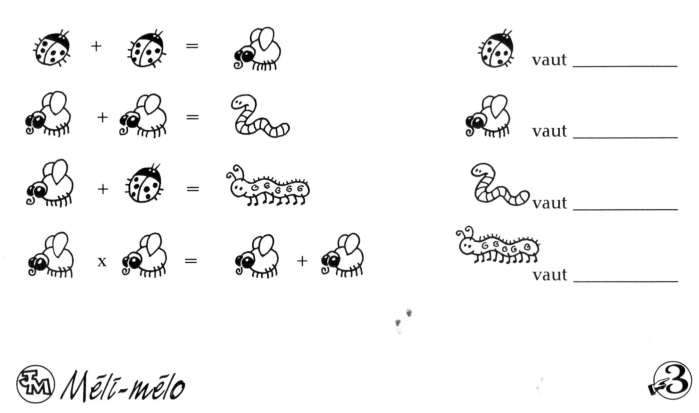

TM *Méli-mélo* 3

Ici c'est le printemps, là-bas c'est l'automne!
Les noms de ces 9 animaux de l'hémisphère Sud sont tout à l'envers. Démêle-les, puis place-les dans la grille. Dans les cases grises, tu découvriras le pays d'où ils viennent.

PLOU ED AAIEMNTS
EEUM
MUSSOOP
OOIYUEQNRHTRN
OOAUURGKN
TABMWO
AAOKL
IIKW
IÉÉCDNH

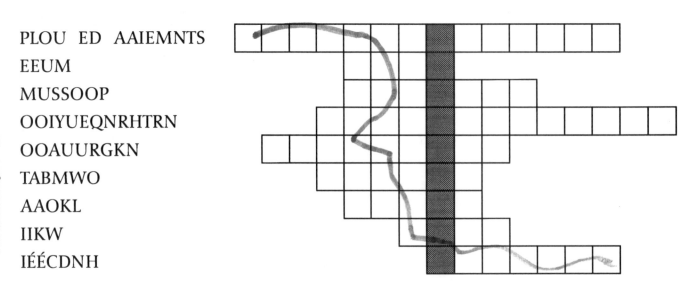

❓ *Plus ou moins*

Essaie de classer...

1. ... ces vents du plus faible au plus fort :
   coup de vent ❏ ouragan ❏ tempête ❏ brise ❏

2. ... ces petites bêtes, de celle qui a le moins de pattes à celle qui en a le plus :
   crabe ❏ araignée ❏ myriapode ❏ pou ❏

3. ... ces jours, du plus court au plus long :
   20 décembre ❏ 24 juin ❏ 25 septembre ❏ 1er avril ❏

4. ... ces continents, du plus petit au plus grand :
   Afrique ❏ Asie ❏ Australie ❏ Antarctique ❏

5. ... ces océans, du plus grand au plus petit :
   Atlantique ❏ Pacifique ❏ Indien ❏ Arctique ❏

6. ... ces créatures, de celle qui a le plus de dents à celle qui en a le moins :
   homme ❏ dauphin ❏ oursin ❏ poisson-chat ❏ chien ❏

7. ... ces planètes, de la plus éloignée à la moins éloignée du Soleil :
   Mars ❏ Saturne ❏ Pluton ❏ Jupiter ❏

√x̄ *Phrase en code*

À l'aide de l'indice, essaie de déchiffrer ce que raconte
cet oiseau bavard.

Indice : UÉÉHN NLPAT = UN ÉLÉPHANT

UEIODLEEATALPITMS NHRNELNFIPSERNEP

_____

© Les éditions Héritage inc. 1998

👁 Le jeu des erreurs

La marmotte est sortie de son trou, mais elle a vu son ombre : l'hiver n'est pas fini !
Trouve les 9 différences entre ces deux illustrations.

Ⓜ Une lettre ou l'autre

Chacun de ces mots cache un nom d'arbre. Pour le découvrir, il te suffit de changer
une seule lettre.

ÉTABLE   _ _ _ _ _ _

FRÈRE   _ _ _ _ _

PIC   _ _ _

LAPIN   _ _ _ _ _

SABLE   _ _ _ _ _

ARME   _ _ _ _

CADRE   _ _ _ _ _

FILLEUL   _ _ _ _ _ _ _

ROULEAU   _ _ _ _ _ _ _

SORCIER   _ _ _ _ _ _ _

CRUCHE   _ _ _ _ _ _

PLATINE   _ _ _ _ _ _ _

Supergrille : les sucres

Le printemps, c'est le temps des sucres! Dans cette grille, tu dois placer les 37 mots de la liste à l'horizontale ou à la verticale. La plupart sont au singulier, mais d'autres sont au pluriel. Raye les mots au fur et à mesure que tu les écris dans la grille. Voici un petit truc pour t'aider : commence par les mots les plus longs.

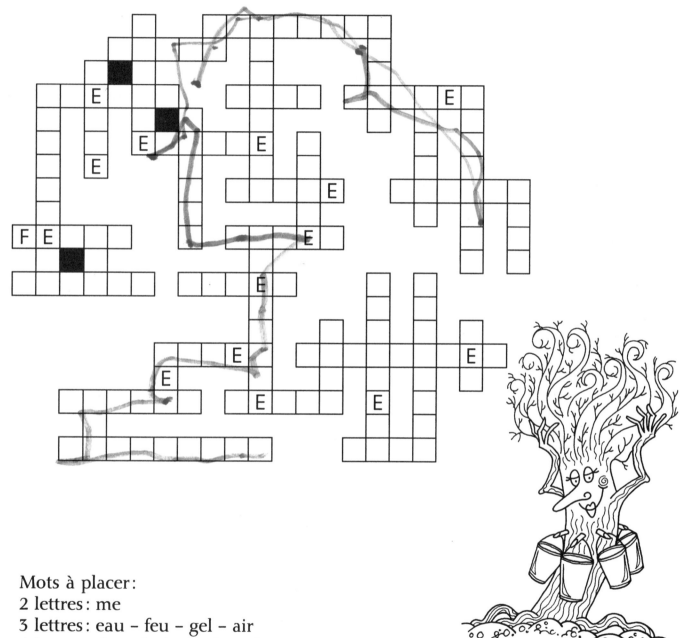

Mots à placer :

2 lettres : me

3 lettres : eau – feu – gel – air

4 lettres : tire – bois – suie – sève

5 lettres : forêt – fèves – neige – hache – sucre – foyer – tarte – sirop – oeufs – dégel

6 lettres : tuques – cheval – érable – cabane – tuyaux – jambon – bottes – outils – vapeur

8 lettres : sentiers – omelette – traîneau – mitaines – ruisseau – carriole

9 lettres : chalumeau – conserves – printemps

Un message de Gaston

Le télécopieur de Caroline est défectueux et les messages qu'il transmet sont illisibles. Remplace les mots erronés dans ce texte par ceux de la liste pour comprendre le message que Gaston a envoyé à Caroline.

Salut! Je ventre de torride chemin patin vers veuf hères. Pourras-tu hennir me percher à l'aérosol?

P.-S. J'ai pendu tous mes barrages et je n'ai plus rien à me lettre sur le mot. Il vaudra que je tasse au voisin pour m'en chanter quelques battements de recharge. N'habille pas de tenir parce qu'il ne me zeste plus d'accent pour rayer le kaki.

Ton tapis Gaston

Mots de rechange :

acheter	mettre
aéroport	neuf
ami	oublie
argent	passe
bagages	payer
chercher	perdu
demain	rechange
dos	rentre
faudra	reste
Floride	taxi
heures	venir
magasin	venir
matin	vêtements

_____
_____
_____
_____
_____
_____
_____
_____
_____

Comme il fait beau et chaud! Paule et Patrice profitent de cette belle journée de printemps pour se promener dans le parc. Dans ce paysage, trouve au moins 20 objets dont le nom commence par P. Tu en trouveras peut-être plus!

La marmotte déménage

Aidée de sa nombreuse marmaille, la marmotte déménage ses pénates. Remets dans l'ordre les syllabes des boîtes pour connaître la raison qui la pousse à agir ainsi.

Le sentier des lettres

Pour traverser ce labyrinthe, la chenille ne doit suivre que les lettres contenues dans le mot CHRYSALIDE. Aide-la à se rendre à la feuille appétissante.

B	F	J	V	B	F	X	Z	X	F	U	O
C	R	N	T	K	O	F	U	B	K	G	T
K	Y	Z	H	R	S	Q	O	T	M	W	G
W	S	O	C	Q	A	F	H	R	S	U	Q
V	L	I	D	T	D	P	A	K	L	I	P
B	M	Z	J	M	E	X	E	U	O	D	W
W	O	F	Z	P	E	G	D	T	F	Y	T
N	K	F	X	V	L	Y	I	U	T	E	E

 *Les insectes camouflés*

Parmi ces herbes se promènent incognito quatre insectes. Essaie de démêler leurs noms!

√x̄ *Les intrus*

Dans chacune de ces séries, tous les mots sauf un ont un rapport les uns avec les autres! Sauras-tu trouver l'intrus? Attention, ce n'est peut-être pas toujours simple!

1. larve - lombric - asticot - chenille

2. bourgeon - œil - bouton - fruit

3. poulet - caneton - coquelet - poussin

4. couvain - lente - nymphe - frai

5. agneau - bigorneau - chevreau - veau

6. strato-cumulus - nimbus - tumulus - cirrus

👁 Dessin mystère

Retrouve dans la grille chacune des suites ci-dessous. Elles sont toutes écrites de gauche à droite ou de haut en bas, et jamais en diagonale. Un symbole peut servir plus d'une fois. Avec les symboles qui restent, tu pourras découvrir le message mystère.

V   S   S   P   O   I   N   D   L   A   R

Message mystère : __ _ _ _ _ _ _ _ _ _ _ _ _ _ !

Ah, ah! Un petit malin s'est amusé à effacer le nom des planètes de ce système solaire situé à des milliards d'années-lumière du nôtre (et qui étrangement lui ressemble beaucoup). Grâce aux indices, essaie de nommer chacune des planètes qui gravitent autour de l'étoile LIELOS.

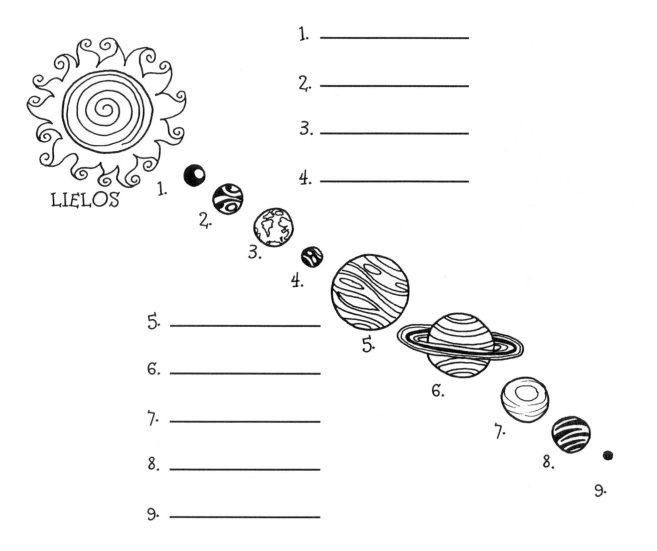

1. _____

2. _____

3. _____

4. _____

5. _____

6. _____

7. _____

8. _____

9. _____

XL5 est située entre la première et la cinquième planète.

H2V est entre la deuxième et la cinquième planète.

XYZ est entre la quatrième et la septième.

#&% est plus éloignée de LIELOS que PAF et B42.

PAF est entre la neuvième et la sixième planète.

YUL est à côté de XYZ, mais XYZ est plus près de LIELOS que YUL.

XYZ est plus loin de LIELOS que XL5, mais elle en est plus proche que BOF.

XL5 est plus loin de LIELOS que H2V.

SMOG est plus loin de LIELOS que B42.

BOF est entre PAF et YUL.

© Les éditions Héritage inc. 1998

? Casse-méninges : un petit glouton

Grand-maman avait déposé sur la table un superbe lapin en chocolat. Lorsqu'elle revient du marché, le lapin a disparu et il ne reste sur la table que quelques miettes de chocolat. Audrey, Charles et Guillaume savent ce qui est arrivé, mais un seul d'entre eux dit la vérité, l'autre dit vrai et faux en même temps, et le troisième ment. Qui a mangé le lapin ?

Jeu de mémoire : quel fourbi dans la remise !

Oh, oh! Paule et Patrice ont tout un rangement à faire dans la remise du jardin. Observe ce dessin pendant une minute, puis tourne la page et essaie de répondre aux questions. Défense de prendre des notes !

Dans la remise, y a-t-il :

un nid d'oiseau ? ❑
un fer à cheval ? ❑
une fourche ? ❑
un gant de baseball ? ❑
un vélo ? ❑
une cage à oiseau ? ❑
des avirons ? ❑
une cabane à oiseau ? ❑
un pot à fleurs ? ❑
un seau d'enfant ? ❑
un parasol ? ❑
un gilet de sauvetage ? ❑
un camion jouet ? ❑

☒ Énigmes animalières ✎②

Les petites coccinelles sont sorties de leur chrysalide. Le tiers d'entre elles ont 1 point, l'autre tiers 2 points et le dernier tiers 3 points. Combien y a-t-il de coccinelles ?

_____

Quatre oiseaux ont pondu des œufs, 10 en tout. Aucun des oiseaux n'a pondu le même nombre d'œufs. Combien d'œufs chacun des oiseaux a-t-il pondus ?

_____

👁 *Petits rébus*

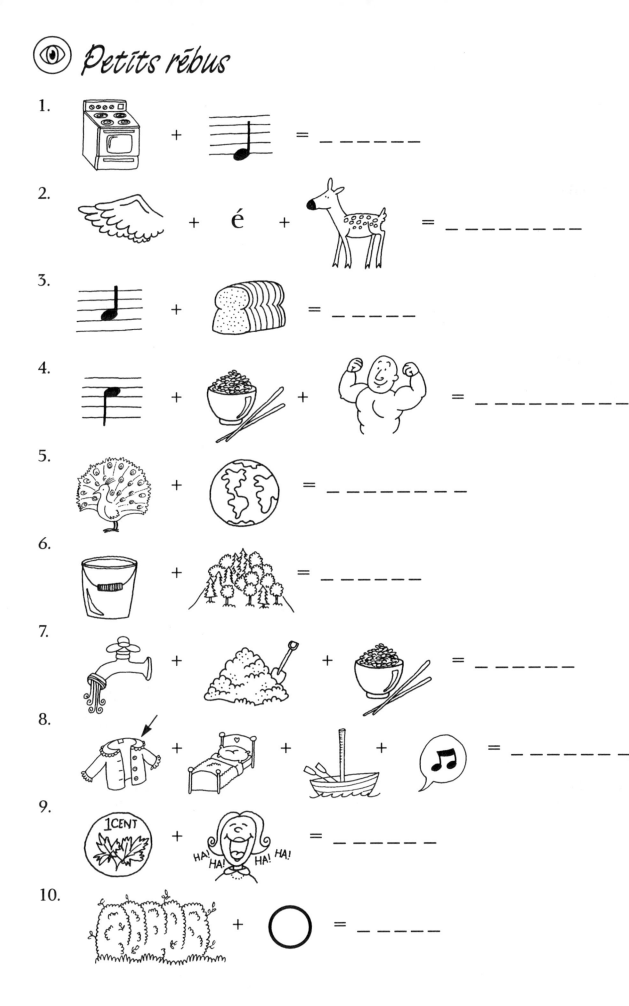

1. 🔲 + 🎵 = _ _ _ _ _ _

2. 🪶 + é + 🦌 = _ _ _ _ _ _ _ _ _

3. 🎵 + 🍞 = _ _ _ _ _

4. 🎵 + 🥣 + 💪 = _ _ _ _ _ _ _ _

5. 🦚 + 🌍 = _ _ _ _ _ _ _

6. 🪣 + 🌲 = _ _ _ _ _

7. 🚰 + ⛏ + 🥣 = _ _ _ _

8. 👕 + 🛏 + ⛵ + 🎵 = _ _ _ _ _ _ _

9. 1 CENT + HA! HA! HA! HA! = _ _ _ _ _ _

10. 🌳 + ◯ = _ _ _ _

Il s'en passe des choses au printemps! Remplis la grille à l'aide des mots de la liste. Commence d'abord par les mots les plus longs et raye ceux que tu utilises au fur et à mesure.

3 lettres : mai

4 lettres : faon – nids – oeuf – oies

5 lettres : avril – bébés – brise – crues – dégel – fonte – larve – neige – pluie – semis
veaux

6 lettres : averse – cabane – fleurs – Pâques – soleil – sucres

7 lettres : chaleur – embâcle – érables – labours – tulipes

8 lettres : éclosion – équinoxe – marmotte

9 lettres : bourgeons – giboulées – naissance – oisillons – renouveau

10 lettres : jonquilles – migrations

12 lettres : nidification

Dans chacune de ces phrases se cache au moins un oiseau. Pas facile à trouver, car ces volatiles connaissent bien l'art du camouflage!

Exemple: Sous le sa<u>pin, son</u> soulier traîne. (pinson)

1. Laure, en dansant le cancan, a ri!

2. Catou tarde à venir, Philippa, on ne l'a pas vue, et Jojo est partie à la mer le premier jour d'avril.

3. Le chat, étonné, tourne autour de la cage.

4. Ce cadeau vaut ou rien du tout, ou beaucoup de sous.

5. Ce que tu fais, Annie, ça ne me regarde pas!

6. En voyant le pou, le garçon a hurlé.

7. Liliane se rince les mains après le dîner.

Un fouillis de fils

Relie chaque lettre à sa bulle.

A B L E E B E D S R V N U

 Les triangles dissimulés

Combien y a-t-il de triangles dans cette figure?

∛ₓ Quel charabia !

Tu auras peut-être du mal à additionner ces insectes, mais une chose est sûre, ils n'ont pas de mal à se multiplier! Si chaque insecte vaut toujours le même chiffre (0, 1, 2, 3, 4 ou 6), quelle est la valeur de chacun d'eux?

_____ vaut 0

_____ vaut 1

_____ vaut 2

_____ vaut 3

_____ vaut 4

_____ vaut 6

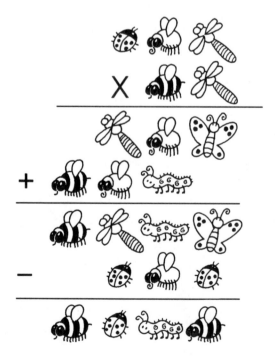

© Les éditions Héritage inc. 1998

42

◉ S... comme sucres

Les Saucier et les Saint-Onge passent leur samedi à la cabane à sucre. Quel brouhaha! Dans cette cohue, essaie de retrouver au moins 20 choses dont le nom commence par S.

Les « scrabouilleurs »

En te servant des lettres suivantes essaie de former des mots dont la valeur correspond aux chiffres donnés. Tu ne peux te servir qu'une seule fois de chaque lettre. Tu trouveras certainement d'autres réponses que les nôtres.

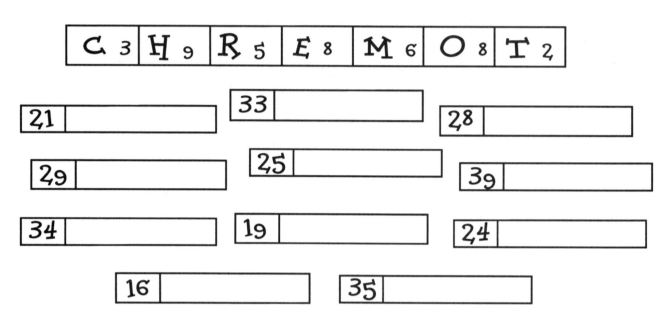

| C 3 | H 9 | R 5 | E 8 | M 6 | O 8 | T 2 |

21 ____   33 ____   28 ____

29 ____   25 ____   39 ____

34 ____   19 ____   24 ____

16 ____   35 ____

À la queue-leu-leu

Ces files de petites bestioles suivent toutes un ordre logique. Complète chacune d'elles en dessinant sur la dernière petite bête le motif approprié.

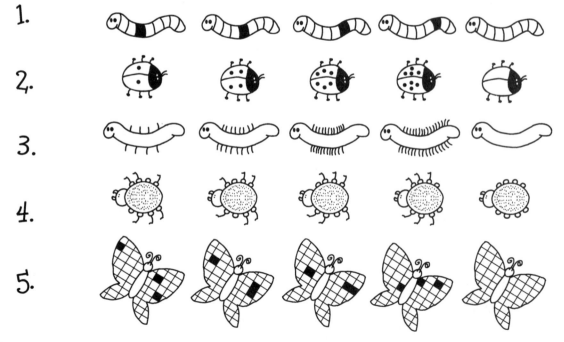

1.

2.

3.

4.

5.

© Les éditions Héritage inc. 1998

◉ Chiffres mystère : le secret de jeannot

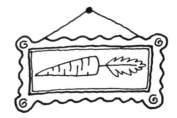

Trouve toutes ces séries de chiffres dans la grille ; elles sont écrites de gauche à droite et de haut en bas, jamais en diagonale. Un chiffre peut servir deux fois. Avec les lettres qui restent et le code, tu pourras découvrir ce que préfère Jeannot Grandes Dents.

4	2	1	6	1	5	2	2	3
3	1	1	6	2	6	4	1	6
2	7	8	7	3	3	2	9	8
7	5	2	8	7	9	8	0	1
5	3	2	9	5	9	7	1	3
9	6	3	6	7	3	6	4	5
5	2	7	5	8	5	8	5	3
4	0	1	3	8	8	7	7	6
9	4	2	0	1	1	3	4	5

9549	2758
1753	1822
6789	5223
3329	5365
9801	3581
9713	9636
7364	2641
8877	4013
4216	3275
9420	

Code

1	3	4	5	6	7	8
L	A	T	O	E	H	C

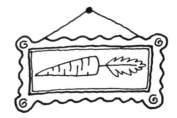

SOLUTION : __ __   __ __ __ __ __ __ __ __

© Les éditions Héritage inc. 1998

❓ Les petits génies dans l'espace

Si tu trouves les neuf bonnes réponses, tu es vraiment un as et tu mérites de devenir astronaute (mais il te faudra encore travailler très fort!).

1. Si les aurores boréales sont ces lueurs qu'on aperçoit dans le ciel de l'hémisphère Nord, comment appelle-t-on celles que l'on voit si on se trouve dans l'hémisphère Sud? _____

2. Quel corps céleste Tintin et Milou ont-ils visité? _____

3. Combien de jours faut-il à la Terre pour faire le tour du Soleil? _____

4. Et combien en faut-il à Mercure, la planète la plus proche du Soleil?
   88 ❑ 365 ❑ 420 ❑ 625 ❑

5. Comment surnomme-t-on la Terre?
   La planète verte ❑ La planète bleue ❑
   La planète en danger ❑ La troisième planète ❑

6. Que craignent le plus Astérix et Obélix? _____

7. Quel est le nom de la mission qui fut la première à se poser sur la Lune?
   Ariane V ❑ Apollo 11 ❑ Viking ❑ Explorer ❑

8. De nombreux scientifiques disent qu'une formidable explosion serait à l'origine de l'univers; c'est le:
   Big Band ❑ Big Bang ❑ Big Bong ❑ Big Boum ❑

9. Six jours de la semaine tirent leur nom de celui de corps célestes appartenant à notre système solaire.
   Les connais-tu?
   Lundi _____
   Mardi _____
   Mercredi _____
   Jeudi _____
   Vendredi _____
   Samedi _____

 # Les animaux se font entendre

Que de bruit dans la nature! Voici 15 animaux des quatre coins du monde. Relie chacun d'eux au verbe qui correspond à son cri, puis selon les réponses, replace ces verbes dans la grille.

3. Le renard	_____.	aboie
7. Le tigre	_____.	barrit
5. La grenouille	_____.	blatère
12. Le corbeau	_____.	brame
1. L'éléphant	_____.	cacarde
13. Le lion	_____.	cancane
6. Le cheval	_____.	coasse
11. La vache	_____.	croasse
4. Le dindon	_____.	feule
14. Le canard	_____.	glapit
9. L'oie	_____.	glougloute
2. Le cerf	_____.	glousse
10. La poule	_____.	hennit
15. Le chameau	_____.	meugle
8. Le chien	_____.	rugit

? Le quiz des mots en PA...

À l'aide des indices, remplis cette grille. Tu découvriras un mot secret dans les cases grises...

1. Il est bien utile quand on ne veut pas de coup de soleil.
2. On le porte.
3. Un lieu extraordinaire.
4. C'est une fleur.
5. On se met dessous pour rester au sec.
6. C'est un insecte.
7. Tu en as un dans la bouche, et c'est un vrai château !
8. Une fête printanière.

⑦ Énigmes

1. Peux-tu obtenir 23 avec seulement six 2 ?

2. Annie, Armand, Ameline et Albert ont cueilli des pissenlits. Annie en a 2 de plus qu'Armand, Armand en a 2 de plus qu'Ameline et celle-ci en a 2 de plus qu'Albert, qui lui, en a 2 fois moins qu'Annie. Combien chaque enfant a-t-il de pissenlits ?

3. Dans un enclos, il y a des oies, des poules et des autruches. Il y a 20 pattes, 6 longs cous et 7 oiseaux au nom de plus de trois lettres. Combien y a-t-il d'oies, de poules et d'autruches ?

4. Cocotte est en train de couver. Elle ne le sait pas encore, mais chacun de ses fils aura autant de frères que de sœurs et chacune de ses filles aura deux fois moins de sœurs que de frères. Combien y aura-t-il de petits poulets et de petites poulettes quand les œufs auront éclos ?

© Les éditions Héritage inc. 1998

Les surprises du printemps

Avec la fonte des neiges, on se rend compte que l'hiver a été dur par ici! Remets aux bons endroits les 11 objets qui semblent s'être déplacés durant les terribles tempêtes hivernales.

② Énigmes en images

Voici de petites énigmes à mi-chemin entre la devinette et le rébus. Sauras-tu les décoder?

1. $\dfrac{G}{PRIX}$ $\dfrac{RIZ}{2}$ $\dfrac{PI}{A}$. _____

2. RVAVQ $\dfrac{DAN}{O}$. _____

3. ⒼꞒ , $\dfrac{P}{G}$, G ! _____

4. LNMHT $\dfrac{D}{PRISE}$ ARV. _____

5. LNAKCC OOOOOO. _____

6. LAD DDDDDD ②Ꞓ. _____

© Les éditions Héritage inc. 1998

Rien ne va plus entre Marianne et sa sœur Caroline. À partir de l'écriture cunéiforme qu'utilisaient les Sumériens il y a trois mille ans, Marianne a inventé un alphabet codé et Caroline ne comprend rien à son message. Pourtant elle aimerait bien pouvoir le déchiffrer. Donne–lui un petit coup de main !

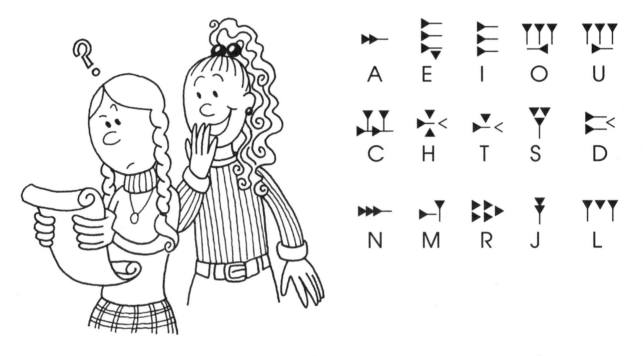

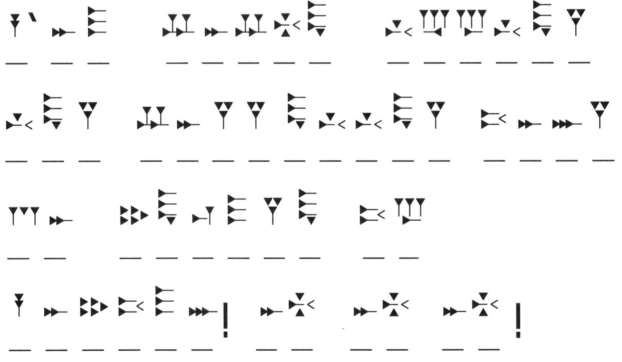

 **Labyrinthe chiffré**

Pour traverser ce labyrinthe, il suffit à Sophie de répondre aux questions, puis de suivre, dans l'ordre, les chiffres correspondants (et qui se touchent) dans le labyrinthe.

1. Le nombre de jours en octobre. __
2. Le nombre d'heures dans une journée. __
3. Le nombre de jours dans une année bissextile. __
4. Le nombre de pattes de l'araignée. __
5. Le nombre de millimètres dans 1,87 m. __
6. Le nombre de nains dans Blanche–Neige. __
7. Le nombre de voleurs que dut affronter Ali Baba. __
8. Le nombre de planètes dans le système solaire. __
9. Le nombre de bougies sur le gâteau d'un nouvel octogénaire. __
10. Le nombre de notes différentes dans la gamme. __
11. Le nombre de carrés sur un échiquier. __

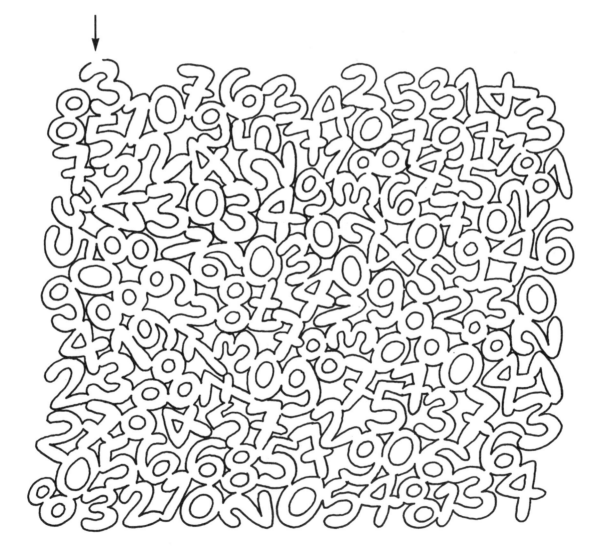

? Énigme sucrée

Antoine a trois sacs. L'un contient des sucettes de sucre d'érable, l'autre, des bonbons de sucre d'érable et le dernier, un mélange des deux. Les étiquettes collées sur les sacs ont été mélangées. Il rencontre Annie qui voudrait bien une sucette. Elle parie que sans regarder à l'intérieur d'aucun des sacs, et en retirant seulement une sucrerie d'un seul sac, elle saura ce que chacun des sacs contient. Comment s'y prendra-t-elle?

◉ Salade de formes

Combien de fois retrouve-t-on cette figure dans cette salade de formes?

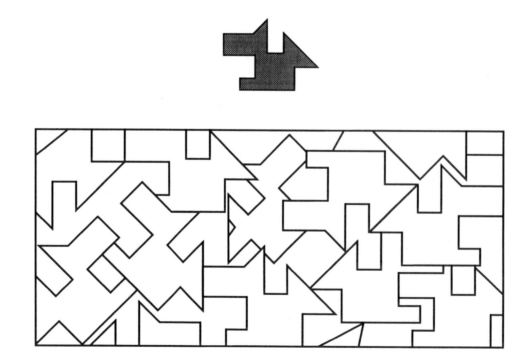

Les lettres entremêlées

Il n'y a qu'à changer l'ordre des lettres de chacun des mots suivants pour découvrir un autre mot. (Ici, les mots à trouver sont des noms, pas des adjectifs ni des verbes.) Après avoir inscrit tes nouveaux mots, tu constateras que chaque lettre correspond à un chiffre (toujours le même). Dans la grille du bas, inscris la lettre qui correspond à chacun des chiffres. Sers-toi de ce code pour découvrir comment on appelle ces mots composés des mêmes lettres.

GRAS

7 8 2 3

UTILE

5 9 16 12 4

LOUPE

18 1 9 12 4

BARRE

8 2 26 2 4

ASSUME

6 8 3 3 9 4

TIRE

2 16 5 4

NICHE

21 24 16 4 11

PAINS

3 8 18 16 11

ROUET

2 1 9 5 4

CODE:

1 2 3 4 5 6 7 8 9 11 16 18 21 24 26

Ces mots sont des __ __ __ __ __ __ __ __ __ __.
8 11 8 7 2 8 6 6 4 3

Objets cachés : les œufs

Pour Pâques, grand-maman a caché 25 œufs dans son salon. Aide Mathilde et Étienne à les retrouver tous... sans en casser un seul!

56

✓x Carré magique bousculé

Normalement, dans un carré magique, la somme de chacune des lignes devrait être la même. Mais ici, deux chiffres ne sont pas à leur place. Lesquels?

8	1	6
4	5	7
3	9	2

™ La grille des petits futés

Chaque case de cette grille contient une syllabe. En partant de la case départ, traverse la grille en composant des mots de deux syllabes en utilisant toujours des cases qui se touchent horizontalement ou verticalement (par exemple : MA–RIN, RIN–CE, etc.).

CER	FUI	MÉ	REI	BA	CEL	TAI	MI	TI	PEU
TI	RE	RO	CHE	PAI	PER	ASE	SER	MIN	CE
TOR	MAT	KEL	CA	NO	HU	PEU	SIL	CHE	LA
MA	RIN	TIR	LOT	CAN	AL	TO	RAN	VA	MA
TON	CE	BA	GER	TOU	PU	TAL	PRO	DI	BOU
BO	LUI	RE	LU	PIS	FOU	ON	DE	MI	EUL
LI	TO	SUI	TIN	TA	RO	TUL	MU	ET	DOU

Solutions

Page 7
MOTS EN IMAGES: LE GRAND MÉNAGE

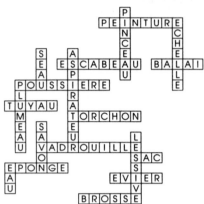

Page 8
LE QUIZ DES MOTS EN CAR

1. cartouche
2. carnaval
3. carnivore
4. carnet
5. cartilage
6. caribou
7. carriole
8. carie

Le mot secret : cartable

UN MERLE AFFAMÉ

Ce que préfère le merle, c'est un bon ver bien juteux !

Page 9
HIÉROGLYPHES

Finie l'hibernation ! Je vais enfin pouvoir me dégourdir les vertèbres !

Page 10
LE VENT FAIT DES SIENNES

Page 11
LES COLLES DES PETITS CALÉS

1. la marmotte
2. l'aire
3. le cloporte
4. la chrysalide
5. un tubiste
6. la hase
7. un tsunami
8. les élytres
9. environ 400
10. 9

Page 12
LA FLEUR MYSTÈRE

Mot mystère : perce-neige

Page 13
LE MESSAGE SECRET DU PRINTEMPS

En écrivant l'alphabet sur deux lignes, tu constates que le A correspond au N et vice-versa, le B au O et vice-versa, etc.

Solution : En avril, ne te découvre pas d'un fil ;
En mai, fais ce qu'il te plaît.

UNE PYRAMIDE D'ŒUFS

Page 14
LA BRIGADE DES COCCINELLES

QU'EST-CE QUI VIENT ENSUITE ?

1. 2 4 8 16 32 64 128   (x 2)
2. 13 17 21 25 29 33 37   (+ 4)
3. 1 3 6 8 16 18 36   (+ 2, x 2, + 2, x 2...)
4. 2 4 6 10 16 26 42 68 110   (2 + 4 = 6, 4 + 6 = 10, 6 + 10 = 16...)
5. 2 3 5 8 12 17 23   (+ 1, + 2, + 3...)
6. 9 8 10 9 11 10 12 11   (− 1, + 2, − 1, + 2...)
7. 10 11 9 10 8 9 7 8 6   (+ 1, − 2, + 1, − 2...)

Page 15
UNE MÉNAGERIE D'EXPRESSIONS

1. Manger comme un cochon
2. Marcher à pas de loup
3. Pleurer comme un veau
4. Verser des larmes de crocodile
5. Être rusé comme un renard
6. Avoir un appétit d'oiseau
7. Être laid comme un pou
8. Dormir comme une marmotte

Page 16
OBJETS À TROUVER : AU TRAVAIL !

Page 17
QUI VIENT D'OÙ ?

éléphant a	2	chameau	13
éléphant b	1	lama	14
koala	3	tigre	15
panda	6	crocodile du Nil	16
manchot	8	orang-outan	4
tamanoir	10	ours polaire	5
piranha	11	ornithorynque	7
dromadaire	12	sanglier	9

Page 18
MOTS ENTRECROISÉS : LES BÉBÉS ANIMAUX

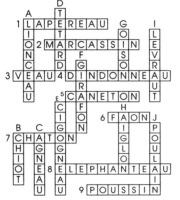

Page 19
ORAGE PRINTANIER

L'hiver est parti par là !

Page 20
DES INTRUS CHEZ AMÉLIE

1. crayon (le seul objet qui n'est pas sphérique)
2. triangle (le seul instrument dans lequel on ne souffle pas)
3. montre (le seul objet qui ne sert pas à regarder)
4. plumeau (le seul objet dont on ne se vêt pas)
5. cheval à bascule (le seul objet qui n'a pas de roues)
6. stylo (le seul objet qui ne commence pas par C)

Page 20 (suite)
DES INTRUS CHEZ AMÉLIE (SUITE)

7. poupée (le seul objet qu'on ne lance pas dans les airs)
8. muguet (toutes les autres fleurs sont jaunes)
9. couleuvre (le seul animal à sang froid)
10. colibri (les autres oiseaux ne migrent pas vers le Sud en hiver)

Page 21
MOTS AU CARRÉ

4 lettres : prêt, sein, rien, pire, près, rein, rite
5 lettres : pinte, serin, peint, temps
6 lettres : sentir, esprit, mentir
9 lettres : printemps
En as-tu trouvé d'autres ?

Page 22
LABYRINTHE : UNE EXPLOSION DE LETTRES

Page 23
LE PHILTRE D'AMOUR DE BERGAMOTE

Pour sa recette, Bergamote a besoin de :
3 cœurs d'artichauts hachés
1 pointe de flèche de Cupidon, finement ciselée
1 fromage fait à cœur
1 baiser volé
1 bon coup de foudre
1 verre d'eau fraîche

Page 24
SALADE DE CHARADES

1.	Blé–daim–deux	(blé d'Inde)
2.	Poire–eau	(poireau)
3.	Pie–ment	(piment)
4.	Meuh–long–do	(melon d'eau)
5.	As–père–jeu	(asperge)
6.	Base–île–hic	(basilic)
7.	Rat–dit	(radis)
8.	Bête–rat–vœu	(betterave)
9.	Scie–trouille	(citrouille)
10.	Haut–rang–je	(orange)

Page 25
MOT MYSTÈRE EN CA...

Mot mystère : cabane

Page 25 (suite)
MOT MYSTÈRE EN CA... (SUITE)

Page 26
QUEL CHARABIA!

vaut 1

vaut 2

vaut 4

vaut 3

MÉLI-MÉLO

Loup de Tasmanie, émeu, opossum, ornithorynque, kangourou, wombat, koala, kiwi, échidné.
Ils vivent en Australie.

Page 27
PLUS OU MOINS

1. 1–brise 2–coup de vent 3–tempête 4–ouragan
2. 1–pou (6) 2–araignée (8) 3–crabe (10) 4–myriapode (jusqu'à 400)
3. 1–20 décembre 2–25 septembre 3–1ᵉʳ avril 4–24 juin
4. 1–Australie 2–Antarctique 3–Afrique 4–Asie
5. 1–Pacifique 2–Atlantique 3–Indien 4–Arctique
6. 1–poisson–chat (9280) 2–dauphin (jusqu'à 260) 3–chien (42) 4–homme (32) 5–oursin (5)
7. 1–Pluton 2–Saturne 3–Jupiter 4–Mars

PHRASE EN CODE

Il faut alternativement prendre une lettre dans le premier segment et une dans le second.
Solution : Une hirondelle ne fait pas le printemps

Page 28
LE JEU DES ERREURS

UNE LETTRE OU L'AUTRE

Érable, frêne, pin, sapin, saule, orme, cèdre, tilleul, bouleau, sorbier, pruche, platane

Page 29
SUPERGRILLE : LES SUCRES

Page 30
UN MESSAGE DE GASTON

Salut! Je rentre de Floride demain matin vers neuf heures. Pourras-tu venir me chercher à l'aéroport?

P.-S. J'ai perdu tous mes bagages et je n'ai plus rien à me mettre sur le dos. Il faudra que je passe au magasin pour m'acheter quelques vêtements de rechange. N'oublie pas de venir parce qu'il ne me reste plus d'argent pour payer le taxi.
Ton ami Gaston

Page 31
P... COMME PRINTEMPS

Pigeon, poubelle, panier, porc-épic, pont, pomme, papillon, plume, plante, pinceau, peintre, patte, parapluie, patins, pain, palette, palme, panneau, pantalon, photographe, peinture, pelle...

Page 32
LA MARMOTTE DÉMÉNAGE

Le message de la marmotte : J'ai besoin d'un terrier plus grand.

LE SENTIER DES LETTRES

```
B F J V B F X Z X F U O
C R N T K O F U B K G T
K Y Z H R S Q O T M W G
W S O C Q A F H R S U Q
V L H D T D P A K L   P
B M Z J M E X B U O D W
W O F Z P E G D T F Y T
N K F X V L Y J U T L E
```

LES INSECTES CAMOUFLÉS

Une coccinelle, une abeille, une punaise et une mouche se cachent dans l'herbe.

LES INTRUS

1. Le lombric n'est pas un insecte à l'état larvaire.
2. Bourgeon, œil et bouton peuvent tous désigner une feuille ou un fruit qui vient juste d'apparaître, donc fruit est l'intrus.
3. Le poulet, le coquelet et le poussin sont tous les trois de jeunes coqs, donc caneton est l'intrus.
4. Seule la nymphe n'est pas un œuf.
5. Le bigorneau n'est pas un bébé animal.
6. Le tumulus n'est pas un nuage.

Page 34
DESSIN MYSTÈRE

Message mystère : Poisson d'avril !

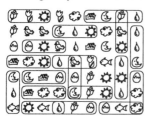

Page 35
LES PLANÈTES EN FOLIE

B42, SMOG, HV2, XL5, XYZ, YUL, BOF, PAF, #&%

Page 36
CASSE-MÉNINGES : UN PETIT GLOUTON

Choisis un coupable au hasard et vois si les affirmations des enfants correspondent avec le fait que l'un d'eux ment, l'autre dit vrai et le troisième dit une demi-vérité.
Solution : C'est Audrey, la gloutonne !

Page 38
JEU DE MÉMOIRE : QUEL FOURBI DANS LA REMISE !

Il n'y a pas de camion jouet, ni de gilet de sauvetage, ni de fourche, ni d'avirons, ni de gant de baseball.

ÉNIGMES ANIMALIÈRES

Il y a 9 coccinelles.
Le premier oiseau a pondu 1 œuf, le deuxième 2, le troisième 3 et le quatrième 4.

Page 39
PETITS RÉBUS

1. four + mi = fourmi
2. aile + é + faon = éléphant
3. la + pain = lapin
4. do + riz + fort = doryphore
5. paon + terre = panthère
6. seau + mont = saumon
7. eau + tas + riz = otarie
8. col + lit + mât + son = colimaçon
9. sou + rit = souris
10. haie + rond = héron

Page 40
SUPERGRILLE : LE PRINTEMPS

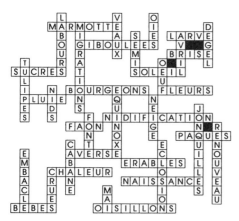

Page 41
OISEAUX CACHÉS

1. Laure, en dansant le cancan, a ri ! (canari)
2. Catou tarde à venir, Philippa, on ne l'a pas vue et Jojo est partie à la mer le premier jour d'avril. (outarde, paon, merle)
3. Le chat, étonné, tourne autour de la cage. (étourneau)
4. Ce cadeau vaut ou rien du tout ou beaucoup de sous. (vautour)
5. Ce que tu fais, Annie, ça ne me regarde pas ! (faisan)
6. En voyant le pou, le garçon a hurlé. (poule)
7. Liliane se rince les mains après le dîner. (serin)

UN FOUILLIS DE FILS

Solution : bulbes à vendre

Page 42
LES TRIANGLES DISSIMULÉS

Il y a 17 triangles.

QUEL CHARABIA !

🐝	vaut 0
🐞	vaut 1
🪰	vaut 2
🐝	vaut 3
🦋	vaut 4
🐛	vaut 6

Page 43
S... COMME SUCRES

Sabot, sapin, saucisse, scie, seau, sentier, sept, sirop, six, skis, soufflet, soulier, soupière, sourire, souris, spatule, sac, salopette, sculpture, souche, selle, siège

Page 44
LES SCRABOUILLEURS

21 mort
29 morte, métro
34 moche
33 roche
25 cher
19 mer
16 mot
28 écho
39 chrome
24 tome
35 torche
Si tu en as trouvé d'autres, bravo !

À LA QUEUE-LEU-LEU

1- 4-

2- 5-

3-

CHIFFRES MYSTÈRE : LE SECRET DE JEANNOT

Ce que préfère Jeannot Grandes Dents, c'est :
le chocolat !
16 87 58 5134

Page 46
LES PETITS GÉNIES DANS L'ESPACE

1. Des aurores australes
2. La lune
3. 365 1/4 jours
4. 88
5. La planète bleue
6. Que le ciel leur tombe sur la tête
7. Apollo 11
8. Le Big Bang
9. Lundi, Lune ; mardi, Mars ; mercredi, Mercure ; jeudi, Jupiter ; vendredi, Vénus ; samedi, Saturne.

Page 47
LES ANIMAUX SE FONT ENTENDRE

Le renard glapit, le tigre feule, la grenouille coasse, le corbeau croasse, l'éléphant barrit, le lion rugit, le cheval hennit, la vache meugle, le dindon glougloute, le canard cancane, l'oie cacarde, le cerf brame, la poule glousse, le chameau blatère, le chien aboie.

Page 48
LE QUIZ DES MOTS EN PA...

1. parasol
2. pantalon
3. paradis
4. pâquerette
5. parapluie
6. papillon
7. palais
8. Pâques

Le mot secret : pastille

Page 49
ÉNIGMES

1. 22 + 22 + 2 : 2 = 23
2. Annie a 12 pissenlits, Armand en a 10, Ameline en a 8 et Albert en a 6.
3. Puisqu'il y a 20 pattes, il y a 10 oiseaux : 3 autruches, 3 oies et 4 poules.
4. 4 poulets et 3 poulettes

Page 50
LES SURPRISES DU PRINTEMPS

Page 51
ÉNIGMES EN IMAGES

1. J'ai surpris deux souris assoupies.
2. Hervé a vécu au Soudan.
3. J'ai dansé, j'ai soupé, j'ai dîné.
4. Hélène aime acheter des surprises à Hervé.
5. Hélène a cassé ses ciseaux.
6. Elle a décidé de danser.

Page 52
CODE MILLÉNAIRE

Marianne a écrit : J'ai caché toutes tes cassettes dans la remise du jardin ! Ah, ah, ah !

Page 53
LABYRINTHE CHIFFRÉ

1.	31	7.	40
2.	24	8.	9
3.	366	9.	80
4.	8	10.	7
5.	1870	11.	64
6.	7		

ÉNIGME SUCRÉE

On sait que tous les sacs sont mal étiquetés. Annie pige alors dans le sac étiqueté «bonbons et sucettes».

A) Si elle en retire une sucette, c'est que c'est le sac de sucettes seulement, donc le sac étiqueté «sucettes» est le sac de bonbons et le sac étiqueté «bonbons» est le sac contenant des bonbons et des sucettes.

B) Si elle en retire un bonbon, c'est que c'est le sac de bonbons seulement. Donc le sac étiqueté «bonbons» contient des sucettes et le sac étiqueté «sucettes» contient des bonbons. Hum!

SALADE DE FORMES

Solution : 5 fois

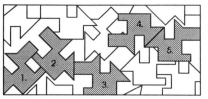

LES LETTRES ENTREMÊLÉES

Gars, tuile, poule, arbre, massue, rite, chien, sapin, route.
Ces mots sont des anagrammes.

OBJETS CACHÉS : LES ŒUFS

CARRÉ MAGIQUE BOUSCULÉ

Le 3 et le 4 sont inversés.

LA GRILLE DES PETITS FUTÉS

Marin, rince, celui, luire, relu, lutin, tinta, tapis, pistou, toucan, canal, alto, total, talon, onde, demi, midi, diva, vache, chemin, mince, cela, lama.

CER	FUI	MÉ	REI	BA	CEL	TAI	MI	TI	PEU
TI	RE	RO	CHE	PAI	PER	ASE	SER	MIN	CE
TOR	MAT	KEL	CA	NO	HU	PEU	SIL	CHE	LA
MA	RIN	TIR	LOT	CAN	AL	TO	RAN	VA	MA
TON	CE	BA	GER	TOU	PU	TAL	PRO	DI	BOU
BO	LUI	RE	LU	PIS	FOU	ON	DE	MI	EUL
LI	TO	SUI	TIN	TA	RO	TUL	MU	ET	DOU

Payette & Simms inc.

Achevé d'imprimer en février 2002 sur les presses de
Payette & Simms inc. à Saint-Lambert (Québec)